Draig o'r enw Môr

I holl blant a staff Tŷ Hafan,
ac i Joe a Lewis,
y beirniaid mwyaf hallt
yng Nghymru.

Draig o'r enw Môr

Jilly Bebbington

Addasiad Aled Islwyn

Diolch i'r Athro Gwynedd Pierce, ac i Aled Islwyn
am y gwaith golygu a chyfieithu, ac am eu hanogaeth.

Diolch am gefnogaeth ariannol Garej Three Arches,
tafarn Three Arches, Medi-Optics, busnesau yn ardal
Rhydypennau, Clearwater a Maryport,
Côr Sound Women (Penarth), ac i ffrindiau a theulu.

Argraffiad cyntaf: 2020
© Hawlfraint Jilly Bebbington a'r Lolfa Cyf., 2020
© Hawlfraint lluniau Andrea Grealy

Dymuna'r cyhoeddwyr gydnabod cymorth ariannol
Cyngor Llyfrau Cymru

Cynllun y clawr: Y Lolfa
Llun y clawr: Andrea Grealy

Rhif Llyfr Rhyngwladol: 978 1 78461 798 1

Cyhoeddwyd ac argraffwyd yng Nghymru
ar bapur o goedwigoedd cynaliadwy gan
Y Lolfa Cyf., Talybont, Ceredigion SY24 5HE
e-bost ylolfa@ylolfa.com
gwefan www.ylolfa.com
ffôn 01970 832 304
ffacs 01970 832 782

Cynnwys

1
Draig o'r enw Môr

Draig ifanc yn byw ym Môr Hafren oedd Môr. Dyna sut y cafodd ei enw. O'r môr. Un addfwyn a charedig oedd e, ac yn llawn hwyl. Doedd e ddim yn bwyta cig ond roedd e'n glyfar iawn.

Roedd Môr wrth ei fodd yn chwarae yn y tonnau, a bownsio a sglefrio i lawr y twyni tywod, ond weithiau roedd yn teimlo braidd yn unig. Allwch chi ddim chwarae Tag ar ben eich hunan bach. Gwell chwarae gyda ffrind bob amser – mae'n llawer mwy o hwyl.

Roedd ganddo gyfnither o'r enw Haf. Ond yng Ngwlad yr Haf roedd hi'n byw a doedd e ddim yn ei gweld yn aml. Dreigiau ifanc oedden nhw, a doedden nhw ddim wedi dysgu hedfan eto, chi'n gweld. Fe allen nhw nofio mor chwim â'r pysgod yn y môr, ond roedd angen cryfhau eu hadenydd cyn hedfan. Fe fyddai misoedd yn mynd heibio cyn y byddai'r ddwy ddraig yn gallu hedfan fry drwy'r awyr.

Un noson wyntog yn yr hydref, roedd Môr yn chwarae yng nghesig gwyn y tonnau ar bwys pentref Sili. Wrth iddo blymio trwy un don arbennig o fawr, chwythodd y gwynt ef at le creigiog. Trawodd ei fola a'i asennau yn galed yn erbyn y creigiau, nes iddo golli'i wynt yn lân. Penderfynodd Môr ddringo i'r traeth a chymryd hoe fach. Roedd hi wedi nosi erbyn hyn, a chymylau'n cuddio'r lleuad. Doedd hi ddim yn hawdd gweld.

Ond yna, sylwodd ar lygedyn o olau. Llusgodd ei hun i fyny'r bancyn, trwy ffens ac ar draws yr ardd nes dod yn nes at y golau. Edrychodd trwy'r ffenest a gallai weld plant yn chwerthin wrth wylio cartŵn ar y teledu. Roedden nhw'n cael hwyl gyda'i gilydd a theimlai Môr yn fwy unig nag erioed.

Symudodd at y ffenest nesaf a gweld dŵr. Dŵr llyfn, llonydd oedd hwn, heb y tonnau gwyntog oedd ar y môr. Beth oedd e?

Aeth ymlaen at y ffenest nesaf. Ar wahân i olau bach wrth ochr y gwely, stafell dywyll oedd hon, ac roedd rhywun yn cysgu ynddi. Aeth Môr yn ei flaen at y ffenest nesaf.

Yno, roedd merch ifanc yn gorwedd ar y gwely. Wrth ei hymyl, roedd rhywbeth a edrychai fel cadair ond gydag olwynion bob ochr iddi. Roedd y ferch ar ddi-hun, ond roedd golwg drist arni. Dyna feddyliodd Môr, ta beth. Curodd yn ysgafn ar y gwydr gydag un o'i grafangau.

"Esgusodwch fi. *Excuse me!*" dywedodd. (Gallai Môr siarad Cymraeg a Saesneg.) "Ga' i ddod i mewn?"

Rhoddodd y ferch naid wrth ei weld, cyn eistedd yn y gadair a mynd draw at y ffenest.

"Wyt ti'n DDRAIG GO IAWN?"

"O, ydw, wrth gwrs!" atebodd. "Fy enw i yw Môr."

"Lisa ydw i," meddai'r ferch. "Dere mewn – os galli di ddod drwy'r ffenest."

"Digon hawdd," atebodd Môr. "Fe all dreigiau wthio'u ffordd trwy lefydd cyfyng iawn."

"Dwi'n gallu gweld!" cytunodd Lisa.

Edrychodd y ddau ar ei gilydd am sbel.

"Rwyt ti'n bert iawn," meddai Lisa.

Gwridodd Môr yn binc o dan ei groen glas. "Rwyt ti'n bert iawn hefyd. Beth yw'r cerbyd 'na rwyt ti'n eistedd arno?"

"Cadair olwyn," atebodd Lisa. "Dyw 'nghoesau i ddim yn gweithio'n dda iawn. Cadair drydan yw hi."

"Waw! Dyna glyfar. Alla i gael reid?'

"Cei, siŵr," meddai Lisa. "Ond bydd rhaid i ti eistedd ar fy nghôl i. Fel hyn mae'n gweithio."

Fe gawson nhw lot o hwyl am funud neu ddwy, gan chwyrlïo o amgylch y stafell wrth i Môr ddysgu sut i reoli'r gadair.

"Dyma hwyl!" meddai Môr. "Ro'n i'n unig mas ar y môr. Ac roedd y gwynt yn oer ac yn chwythu'n chwyrn heno. Mae'n well gen i gael cwmni a rhywun i siarad â hi.'

"Cytuno'n llwyr," chwarddodd Lisa. "Ro'n i'n cael trafferth mynd i gysgu ac aeth fy ngofalwraig am hoe fach i'r Cwtsh, gan feddwl 'mod i wedi cysgu yn y diwedd. Fe ddaw hi'n ôl toc a chael sioc o weld draig yn y stafell!"

"Gwell iddi beidio â 'ngweld i, 'te," dywedodd Môr yn araf. "Dyw'r rhan fwyaf o bobl ddim yn gallu 'ngweld i, ta beth. Rhaid i chi GREDU mewn dreigiau i allu eu gweld. Bydd rhaid i fi fynd 'nôl i'r dŵr cyn bo hir achos mae croen dreigiau môr yn sychu'n glou. Ond byddai'n well 'da fi aros fan hyn i siarad â ti."

"Dwi'n gwbod beth wnawn ni!" meddai Lisa. "Mynd i'r pwll. Mae'r dŵr yn gynnes ac fe alli di nofio a nofio a nofio. Fe ddo' i gyda ti, os wnei di roi help llaw imi wisgo fy ngwisg nofio. Mi fydda i'n ddiogel gyda nofiwr da fel ti."

"Bant â ni!" meddai Môr. "Gawn ni amser gwych gyda'n gilydd!"

A dyna beth wnaethon nhw. Rhoddodd Môr help llaw i Lisa a nofiodd y ddau yn y dŵr cynnes. Cafodd hi fynd ar ei gefn ac roedd y ddau wrth eu boddau. Ond ar ôl tipyn, tybiodd Lisa y byddai'n well iddi fynd yn ôl i'w stafell, rhag ofn fod yr ofalwraig yn chwilio amdani.

"Dwi wedi cael amser mor braf," meddai Môr. "Ga' i ddod eto?"

"Wrth gwrs. Ac fe gei di chwarae gyda'r plant eraill hefyd y tro nesa. Dim ond am rai dyddiau dwi yma. Mae Mam a Dad a 'mrawd yn aros yn y fflat lan llofft. Ond fe fydda i'n ôl ymhen ychydig wythnosau ac fe allwn ni chwarae eto. Dwi wedi mwynhau mas draw!"

"Ble ydyn ni?" gofynnodd Môr.

"Tŷ Hafan," atebodd Lisa. "Ni'n dod fan hyn am wylie bach ac i joio. Ni'n cael lot o hwyl ac mae'r bwyd yn wych. O, a gyda llaw… mae'r rhan fwyaf o'r Tîm Chwarae yn credu mewn dreigiau. Fe allan nhw chwarae gyda ni hefyd. Ond ein cyfrinach ni yw hyn am y tro."

"Gwych," meddai Môr. "Sdim rhaid i mi fod yn unig byth eto. Dwi'n gwybod ble ga' i gwmni. Hwyl fawr!' Cerddodd at lan y môr ac aeth i nofio yn y tonnau.

Syrthiodd Lisa i gysgu yn syth bin, achos roedd hi'n hapus-flinedig.

"O, mae'n cysgu fel babi!" meddyliodd ei gofalwraig wedyn. "Ac mae'n gwenu'n hapus. Ond pam fod ei gwallt hi'n wlyb? Fel petai hi wedi bod yn nofio!'

Roedd gwên ar wyneb Môr hefyd.

"Sdim rhaid i mi fod yn unig byth eto," meddai wrtho'i hun. "Fe alla i fynd i Dŷ Hafan a chwarae gyda'r plant. Mae croeso cynnes i mi yno!'

2
Môr a'r Clwb Coginio

Roedd Môr yn nofio yn y môr o flaen Tŷ Hafan. Gorweddai ar wastad ei gefn, gan chwythu dŵr i'r awyr a'i wylio'n llifo'n ôl i'r môr. Hoffai ddefnyddio'i gynffon i droi'r dŵr yn ewyn gwyn. Roedd wrth ei fodd.

"Hei, Môr! Dere i chwarae gyda ni," galwodd Lisa arno o'r lawnt gerllaw.

"Yna mewn chwinciad chwannen!" atebodd Môr.

Nofiodd yn gyflym at y creigiau, a dringo drwy'r ffens i'r ardd.

"Helô, bawb!" meddai wrth Robyn, Wyn, Lisa a Rhys, oedd yn yr ardd yn eu cadeiriau olwyn.

Nawr, cofiwch mai dim ond pobl sy'n credu mewn dreigiau allai weld Môr. Roedd Robyn, Wyn, Lisa a Rhys i gyd yn credu wrth gwrs – a'r gofalwyr, Gareth, Mai a Candice. Ond doedd Gigi, gofalwraig Robyn, ddim.

"O, creaduriaid mewn chwedlau yw dreigiau," fyddai Gigi yn dweud yn freuddwydiol. "Ond mae'n biti nad oes dreigiau go iawn."

"Rhaid i ti gredu, neu wnei di byth weld Môr," dywedai Robyn wrthi.

Dal i amau wnaeth Gigi, ond gallai weld fod y siglen arbennig roedd cadeiriau olwyn Lisa a Rhys arni yn symud yn ôl ac ymlaen yn gyflym iawn, rywsut. A oedd amlinell rhyw siâp glas y tu ôl iddyn nhw?

"Pum munud arall cyn y Clwb Coginio!"

cyhoeddodd Candice. Siglodd y siglen i sŵn gwichian cyffrous Rhys a Lisa.

Rhoddodd Jane ei phen rownd drws y gegin, gan weiddi i gyfeiriad yr ardd: "Mae Julia, Dave a finne wedi gorffen clirio'r cinio. Fe allwch chi i gyd ddod i'r Clwb Coginio nawr. Mae Julia'n pobi cacennau cwpan ac yn rhoi eisin arnyn nhw!"

Stopiodd Môr wthio'r siglen, a meddwl, "Shwt yn y byd allwch chi wneud cacen o gwpan? Fyddan nhw'n siŵr o roi poen bol!" Gan ei fod mor fusneslyd am bopeth, roedd yn benderfynol o ddarganfod mwy am y busnes coginio yma!

Aeth y criw a'r gofalwyr i'r gegin, lle rhoddodd Julia ffedogau a hetiau cogydd i bob un a gwneud yn siŵr eu bod yn golchi'u dwylo'n drwyadl hefyd. Safodd Môr wrth y peiriant golchi llestri, gan wylio'n ofalus.

"Dwi ddim yn bwyta cig," meddai Môr wrth Julia yn nerfus. "Nac yn bwyta cwpan chwaith!"

"Na, y gacen sydd fel siâp cwpan," esboniodd. "Maen nhw'n cael eu gwneud o flawd, wyau, menyn a siwgwr. Ar ôl eu pobi byddwn ni'n rhoi eisin siocled arnyn nhw. Fe allwn ni baratoi'r eisin wrth i'r cacennau bach oeri."

Arhosodd Môr yng nghysgod y peiriant golchi llestri. Roedd e'n dal yn amheus, ond yn falch iawn fod holl staff y gegin yn gallu ei weld. Felly, roedd hynny'n golygu eu bod nhw i gyd yn credu mewn dreigiau.

Gan ddefnyddio peiriant arbennig, cafodd yr holl gynhwysion eu cymysgu. Dim ond cyffwrdd â botwm oedd ei angen i'r peiriant weithio. Llwyddodd Julia i berswadio Môr i wasgu'r botwm gyda'i grafanc a chwarddodd wrth weld pa mor hawdd oedd e. Cafodd pawb ei dro i wasgu'r botwm a gweld y gymysgedd yn troi.

Yna, rhoddodd Julia y cacennau bach yn y popty. Dim ond deg munud gymerodd hi i'w coginio yn y casynnau papur. Pan agorodd hi ddrws y popty anferth, agorodd Môr ei lygaid mor fawr â soseri. Gallai deimlo'r gwres yn dod ohoni.

"Pan fydda i wedi tyfu'n fawr ac yn gallu hedfan a chwythu tân," meddyliodd, "fe fydda i'n gallu pobi cacennau ar ben fy hunan bach!"

"Dyma'r siwgwr eisin, a bydd y menyn a'r coco'n cael eu rhoi i mewn ar gyfer gwneud yr eisin siocled," cyhoeddodd Dave.

Aeth Môr yn nes. Doedd e erioed wedi gweld siwgwr eisin o'r blaen ac roedd wedi ei swyno gan y powdwr mân, mân gwyn.

"Dewch i gael blas!" meddai Julia, gan estyn llwy fechan i bob un.

Gwthiodd Môr ei drwyn hir i grombil y peiriant – yn rhy bell a dweud y gwir. Teimlodd gosi yng nghefn ei wddf a thisianodd yn sydyn ac yn swnllyd, gan wneud i'r siwgwr eisin hedfan i bob man! Cyn i neb gael cyfle i ddweud 'Esgyrn Dafydd!' roedden nhw i gyd wedi'u gorchuddio â'r llwch gwyn.

Chwarddodd Jane yn uchel. Roedd dagrau'n llifio i lawr ei bochau wrth iddi edrych yn syn ar y ddraig fach, oedd fel petai'n gwisgo cot wen. Yn wir, fe chwarddodd pawb.

"Bobol annwyl, mae'n ddrwg gen i!" meddai Môr.

"Paid â phoeni! Fyddwn ni ddim chwinciad yn tacluso," dywedodd Dave. "Pan fydd pawb wedi stopio chwerthin, fe wnawn ni i gyd helpu."

Wrth iddyn nhw lanhau, dywedodd Gigi, "Wel, mae'n rhaid i fi gredu yn Môr nawr, ar ôl gweld yr holl lanast mae e wedi'i greu!"

Cyn bo hir, roedd pawb yn mwynhau'r cacennau cwpan – nad oedd wedi cael eu gwneud o gwpanau – gydag eisin siocled ffres ar bob un.

"Wel, dyna beth oedd diwrnod anturus!" meddyliodd Môr. "Ac un blasus dros ben!"

3
Môr yn yr olchfa

Cerddodd Môr, y ddraig fach, ar hyd y coridor ger stafelloedd y plant yn Nhŷ Hafan. Roedd ei ffrind, Ifan, yn cael bath ac awgrymodd Tony, ei ofalwr, fod y stafell ymolchi braidd yn rhy fach i dri. Deallodd Môr, ac aeth o'r ffordd.

O stafell ychydig ymhellach i lawr y coridor, gallai glywed geiriau rhegi ycha-fi a sŵn morthwylio. Gan ei fod e'n fusneslyd, aeth i ymchwilio. Aeth heibio'r Cwtsh, ond doedd neb yno'n cael cwtsh na mwythau.

"Dyw hyn ddim iws!" meddai Jasper, gan edrych yn drist ar y sychwr dillad yn yr olchfa. "Mae angen rhan newydd ar y peiriant sychu dillad."

"Damia! Dyna hen dro," meddai Carol, oedd yn edrych yn fwy trist na Jasper hyd yn oed. "Mae'r holl dywelion yma i'w sychu. Rydyn ni'n defnyddio cymaint ohonyn nhw yma yn yr hosbis, Môr."

Dilynodd Môr Jasper i'r storfa.

"Dyw'r rhan gywir ddim gyda ni," meddai. "Bydd rhaid archebu un newydd ar y we, ond ddaw e ddim tan fory, ac mae Carol eisiau gorffen y golch heddiw. Allwn ni ddim sychu'r tywelion tu fas achos mae'n bwrw glaw yn drwm."

"Ydy. Mae'n bwrw hen wragedd a ffyn," cytunodd Môr. "A sdim siâp arni'n troi'n hindda. Dim ond glaw maen nhw'n addo am weddill y dydd hefyd."

(Byddai Môr wrth ei fodd yn gwylio

rhagolygon y tywydd. Byddai Chris Tywydd yn gadael iddo wybod os oedd Môr Hafren yn rhy stormus iddo allu nofio yn y dŵr o flaen Tŷ Hafan.)

"Mae'n cymryd amser hir i'r tywelion sychu dan do. Rhaid meddwl am ryw ffordd arall. Rwyt ti'n ddraig fach glyfar. Unrhyw syniadau?"

"Mae gen i syniad, a dweud y gwir," meddai Môr wrtho. "Efallai y bydd e'n gweithio, ond efallai ddim. Gad i mi feddwl am eiliad."

Aeth Môr yn ôl i'r Cwtsh i gael llonydd i feddwl am ei gynllun. Gorffwysodd ei gynffon ar fraich y soffa ac roedd yn ofalus iawn ble roedd yn rhoi ei grafangau.

"Dwi'n cryfhau bob dydd wrth i fwy o bobl gredu yndda i," meddyliodd. "Alla i ddim hedfan go iawn eto, ond dwi'n gallu neidio yn uchel. Ac er na alla i anadlu tân eto, dwi YN gallu chwythu aer poeth. Efallai y bydd hynny'n help i Carol. Dwi'n gwybod! Beth am fynd i'r gegin i weld oes sinsir gan Julia a Jane? Mae hwnnw'n blasu'n boeth ac yn sbeislyd, ac yn rhoi gwynt braf ar fy anadl i."

Yno, yn y gegin, roedd y ddwy yn fwy na pharod i roi darn o sinsir i Môr.

"Mmmmm!" ochneidiodd Môr, wrth gnoi'r gwreiddyn yn awchus. "Sinsir ffres i gynhesu fy ngheg ac i dawelu fy nerfau!"

"Jiw, dyna ddraig fach ddoniol!" meddai Jane. "Pwy arall fyddai'n mwynhau cnoi sinsir ffres?"

"Mae gan y creadur rhyw gynllun ar y gweill, gei di weld," dywedodd Julia. "Nid draig fach dwp yw Môr. Ac wyt ti wedi

sylwi nad yw e mor fach â hynny erbyn
hyn chwaith? Mae'n tyfu'n glou."

Aeth Môr yn ôl ar hyd y coridor gan gnoi
a chnoi. Dychwelodd i'r olchfa at Carol
gan igian yn uchel.

"Dwi wedi cael – hic – syniad," cyhoeddodd.

"Beth wyt ti'n ei fwyta?" gofynnodd Carol.

"Sinsir ffres," atebodd Môr. "Mae'n boeth, ti'n gweld."

"Na, dwi ddim yn gweld," atebodd hithau wedyn.

"Wel! Rwyt ti siŵr o fod yn gwybod bod dreigiau'n gallu anadlu tân…" dechreuodd egluro.

"PAID TI MENTRO ANADLU TÂN AR FY NHYWELION GLÂN I!" sgrechiodd Carol. "Mi fyddi di'n eu rhuddo nhw ac yn gwneud i'r larwm dân ganu, a llosgi'r lle'n ulw!'

"Alla i ddim anadlu tân go iawn… dim eto," esboniodd Môr yn wylaidd. "Ond fe alla i chwythu aer poeth."

"Hmmm, iawn, fe allai hynny sychu'r tywelion," ystyriodd Carol wedyn. "Wyt ti'n siŵr na fydd fflamau?"

"Dwi'n hollol siŵr, gant y cant. Dim ond torri gwynt ar ôl bwyta rhywbeth poeth fel sinsir fydd raid i mi wneud. Torri gwynt trwy 'ngheg, hynny yw," aeth Môr yn ei flaen i egluro. "I greu fflamau, fe fyddai'n rhaid i mi fwyta menyn neu olew."

"Wel, os wyt ti'n siŵr, fe allwn ni roi cynnig arni," mentrodd Carol.

A dyna wnaethon nhw.

Gosododd Carol y tywelion yn daclus i hongian a thorrodd Môr wynt drostyn nhw, yn gwrtais – gwynt oedd yn arogli o sinsir cynnes. Gallai Môr a Carol weld y stêm yn codi o'r tywelion. A chyn bo hir roedden nhw'n sych. Cymerodd y cyfan dipyn o amser gan fod cymaint o dywelion i'w

sychu a Môr yn gorfod cnoi mwy a mwy o sinsir ffres. Ond maes o law, fe gyhoeddodd Carol fod y dau ddeg pump o dywelion wedi sychu'n grimp. Roedd ganddyn nhw fwy na digon o dywelion glân tan i'r sychwr dillad gael ei drwsio.

"Diolch o galon, Môr annwyl!" meddai Carol. "Rwyt ti wedi achub y dydd."

"Ond dyw'r dydd ddim angen ei achub," dywedodd Môr.

"Dim ond ymadrodd yw e, Môr," eglurodd Carol. "Rwyt ti wedi arbed sefyllfa gas. Mi fydd gan y plant dywelion glân, sych nawr – digon tan y bore. Hen ddraig fach dda ac annwyl wyt ti, Môr, a dwi'n dy garu di.'

"Dwi ddim yn hen," protestiodd Môr. "A dwi ddim mor fach â hynny chwaith."

Yn wir, roedd Môr fel petai wedi

tyfu centimetr neu ddwy dros yr oriau diwethaf.

Erbyn hynny, roedd Ifan wedi dod allan o'r bath, ac wedi sychu'i hun â thywel sych, cynnes. Aeth i'r stafell gerddoriaeth wedyn gyda Môr a Diane, y therapydd cerdd. Wedyn, fe fuon nhw'n chwythu swigod ANFERTH oedd yn arogli o sinsir gan fod Môr yn anadlu'r aer poeth olaf.

"Dwi WIR yn dy garu di, Môr," meddai Ifan. "Ti yw'r ddraig hyfrytaf yn y byd i gyd yn grwn."

Tyfodd Môr cwpwl o gentimetrau eto fyth, gan wenu'n hapus arno.

"Dwi'n dy garu di hefyd, Ifan."

4
Môr a'r
Cysur Cyffwrdd

Roedd Annette, un o'r Criw Chwarae, yn Stafell Weithgareddau Tŷ Hafan yng nghwmni dau o'r plant, Philip a Jason, a Mai a Beth, eu gofalwyr, pan glywodd guro ysgafn ar y drws.

"Helô, Môr," meddai. "Sut wyt ti heddiw? Wyt ti wedi dod i chwarae?"

"Ydw, os gwelwch yn dda," atebodd Môr. "Alla i helpu?"

"Wel, wrth gwrs. Rydyn ni'n gwneud printiau o draed a dwylo ar gyfer gwaith crefft," meddai Annette. "Fe alli di helpu trwy beintio dwylo a thraed Philip yn barod i'w printio."

"Gwych!" atebodd Môr yn gyffrous. "Pa liw?"

"Rydyn ni'n defnyddio gwyrdd, er mwyn creu cefndir sy'n edrych fel jyngl. Pan fydd digon o brintiau gyda ni, gallwn ni eu hongian ar waliau'r Cwtsh ac wedyn rhoi lluniau o anifeiliaid y jyngl arnyn nhw.'

"Oes DREIGIAU yn y jyngl?" holodd Môr.

"Wel, mae 'na deigrod a mwncïod a pharotiaid yn byw yno," atebodd Annette. "Wela i ddim pam lai na chawn ni ddreigiau hefyd!"

Edrychodd Môr yn fodlon iawn. Er mai crafanc oedd ganddo yn lle llaw, roedd yn fedrus iawn wrth ddefnyddio brwsh paent.

Rhoddodd baent gwyrdd ar ddwylo a thraed Philip yn ofalus.

"Fe wnawn ni brintiau ohonyn nhw nawr; llond gwlad ohonyn nhw," dywedodd Mai, a dyna beth wnaethon nhw.

"Diolch, Môr," meddai Annette. "Wnei di helpu Mai i olchi'r paent i ffwrdd? Dwi'n mynd lawr i'r Stafell Synhwyrau ymhen deg munud i gynnal sesiwn Cysur Cyffwrdd." (Gwyddai Môr mai 'Touch Trust' oedd enw Saesneg y gweithgaredd. A gwyddai hefyd fod llawer o'r plant yn cael cysur trwy gyffwrdd a defnyddio'r synhwyrau yno.) "Wyt ti am ddod i helpu chwythu aer cynnes a chwarae offerynnau taro?"

"Ydw, wrth gwrs! Diolch yn fawr," atebodd Môr yn frwd. "Fe af i nôl darn o sinsir er mwyn gallu chwythu aer poeth.

Mi fydda i yno mewn deg munud."

Pan gyrhaeddodd y Stafell Synhwyrau, roedd Annette, Philip, Mai, Jason, Beth, Anwen ac Eleri yno o'i flaen.

"Poeth!" ebychodd gan anadlu mas. "Wff, mae'n boeth!"

"Dere, Môr. Fe rown ni'r bagiau ffa mas yn barod i'r plant, tra bo'r gofalwyr yn eu codi nhw o'r cadeiriau olwyn."

Cafodd y bagiau ffa eu rhoi ar y llawr er mwyn i'r plant orwedd arnyn nhw, gyda'r gofalwyr wrth ymyl.

"Gei di fynd ar y gwely dŵr," awgrymodd Annette wrth Môr.

"Fe fydd yn dy atgoffa di o fod ar y môr. Môr ar y môr!" meddai Eleri gan wenu, a gwneud yn siŵr fod Anwen yn gorwedd yn gysurus ar ei bag.

"Pawb yn barod? Mae'r goleuadau'n diffodd…"

Clapiodd Annette a'r gofalwyr eu dwylo wrth iddi dywyllu.

"Fe ddechreuwn ni drwy daro'r clychau Tibetaidd yma," aeth yn ei blaen. "Os gallwch chi eu taro, gwych. Ond os na allwch chi, sdim ots. Mae Môr yma i roi help llaw – neu help crafanc i fod yn fanwl gywir!"

Pefriodd llygaid Môr gyda balchder. Yna, chwaraeodd Annette gerddoriaeth dawel ac ymlaciodd pawb. Dechreuodd y gofalwyr dylino coesau, breichiau a chefnau'r plant. Daeth teimlad llonydd braf dros bawb. Roedd Môr yn syndod o dda am ymlacio'n llwyr ac am gadw'i geg ar gau pan oedd angen.

"Dwi am droi'r golau mlaen nawr," cyhoeddodd Annette ymhen sbel. "Reit! Pa synau allwn ni eu creu gyda'r offerynnau taro?"

Doedd Jason nac Anwen ddim yn gallu symud llawer, felly aeth Môr, Beth ac Eleri i helpu'r ddau.

"Hwrê fawr i bawb," meddai Annette wedyn. "Rydych chi i gyd yn ardderchog!"

Yna, galwodd Annette am y defnyddiau meddal.

"Alli di helpu, Môr? Fe daenwn ni'r defnyddiau yn ysgafn dros y plant, fel eu bod nhw'n gallu eu teimlo."

Dewisodd y gofalwyr ddefnyddiau sidan, mwslin, taffeta a rhai llawn secwins disglair.

"Wnei di chwythu ar y defnydd, Môr?" gofynnodd Annette.

"Siŵr iawn!" atebodd yntau, gan dorri gwynt sinsiraidd yn hapus – trwy'i geg, wrth gwrs, yn ôl ei arfer. "Bendigedig! Dwi'n anadlu'n gryf heddiw."

"Paid â chwythu'n rhy gryf!" ebychodd Annette. "Dydyn ni ddim eisiau toddi'r sidan."

"Iawn, cŵl!" meddai Môr dan ei anadl.

'Ie, yn gwmws!" cytunodd Annette yn siarp.

Cyn bo hir roedd pawb yn mwynhau teimlo'r gwahanol ddefnyddiau yn hofran dros eu crwyn, a'r gofalwyr yn curo dwylo wrth weld unrhyw symudiad neu ymateb gan y plant.

"Dwi ddim yn dda iawn am guro dwylo," cyfaddefodd Môr. "Dwi'n cael trafferth gyda fy nghrafangau!"

"Mae pawb yn cael trafferth weithiau," ceisiodd Eleri ei gysuro. "Dyw rhai o'r plant ddim yn gallu symud yn dda – ond mae pawb yn gwneud eu gorau. Dyna sy'n bwysig. Da iawn ti, Môr!"

"Fe wna i nawr ddiffodd y golau mawr a chwarae cerddoriaeth dawel," ac wrth iddi siarad, gwasgodd Annette fotwm y peiriant cerddoriaeth. Daeth sŵn fel y môr ac ymddangosodd y Carped Hud ar y llawr, gyda physgod yn nofio'n araf ar wely'r môr, a gwymon yn dawnsio'n osgeiddig mewn patrymau hardd.

Ymlaciodd pawb eto – rhai wedi ymlacio'n llwyr. O wely dŵr Môr, daeth sŵn chwyrnu tyner a rhyw awel fwyn o sinsir melys. Gwenodd pawb wrth weld y ddraig fach fodlon yn pendwmpian yn hapus.

"Dwi'n dwli ar yr anghenfil bach annwyl 'ma," sibrydodd Annette. "Mae e mor garedig a thyner. Byddai'n biti ei ddihuno."

Aeth y plant a'u gofalwyr allan o'r Stafell

Synhwyrau, gan adael y peiriant swigod i wneud ei waith.

Ac roedd Môr yn cysgu'n drwm ar donnau hapus ei freuddwydion.

5
Diwrnod prysur Môr

Roedd Môr yn mwynhau treulio amser yn Nhŷ Hafan. Ar ôl nofio yn y pwll gyda Lisa, roedd wedi helpu'r plant i wneud cardiau a'u haddurno. Oherwydd y glud a'r llwch llachar bu'n rhaid iddo olchi ei grafangau sticlyd. Yna, aeth i'r gegin a chipio darn bach o sinsir ffres dan drwyn Julia. Nawr, roedd e'n chwilio am rywbeth arall i'w wneud.

"Haia, Môr!" gwaeddodd Jodie wrth iddo basio'r Stafell Weithgareddau. "Os nad wyt ti'n brysur, dere i roi'r sbwriel yma drwy'r peiriant torri papur."

"Iawn, gwych!" atebodd Môr yn

frwdfrydig. "Mae'r plant hŷn yn paratoi i fynd am drip. Mae Paul yn gyrru'r bechgyn i Ynys y Barri – ond fydd hynny ddim am sbel eto."

"Dilyna fi 'te," meddai Jodie, gan gerdded tua'r swyddfa. Aeth Môr ar ei hôl, gan siglo ei adenydd wrth gerdded. Roedden nhw'n tyfu'n fwy bob dydd.

"Fe alli di roi'r holl bapur yma sydd wedi'i dorri mewn bagiau. Mae gymaint ohono fe – gormod i'w ailgylchu."

"Pam ddim llosgi'r cyfan?" cynigiodd Môr.

"Llygredd," meddai Ali a Nicki fel côr.

"Ond dyw fy nhân i ddim yn llygru'r aer," protestiodd Môr. "Does dim mwg, dim ond fflamau."

"Wyt ti'n siŵr, Môr?" holodd Amanda.

"Dydyn ni ddim eisiau llygru'r awyr

o gwmpas Tŷ Hafan, nac unman arall chwaith," meddai Teresa.

"O, na, na! Fydda i byth yn achosi llygredd," sicrhaodd Môr. "Mae fy fflamau i'n arbennig, yn llosgi'n boeth ac yn bur. Dwi wedi bod yn ymarfer tipyn yn ddiweddar."

Felly, arhosodd Jodie a'r criw yn y swyddfa i ateb y ffonau ac i lenwi'r ffurflenni, ac aeth y lleill i ben pella'r ardd at y domen gompost, gan lusgo nifer o fagiau llawn papur mân. Cynigiodd Jasper oruchwylio'r cyfan ac aeth Môr yn ôl i'r gegin i lyncu olew coginio – er mwyn 'iro fy mhibau', meddai.

Cyn pen dim, tynnwyd y papur carpiog allan, fel bod modd defnyddio'r bagiau eto, a llosgodd Môr y gwastraff, yn lân ac yn gyflym.

"Jiw! Dyna un bach defnyddiol yw'r ddraig yma, mewn sawl ffordd," meddai Jasper wrth Jodie ar ôl gorffen twtio. "Fe wnaeth e hyd yn oed godi'r lludw a'i daflu ar ben y domen gompost, er mwyn iddo ailgylchu'n ôl i'r pridd."

"Ydy, wir," cytunodd hithau. "Diolch o galon, Môr. Rwyt ti werth y byd i'r hosbis."

Gwridodd Môr yn binc i gyd o dan ei gennau glas.

"Dwi'n mynd i weld Paul ynglŷn â'r trip i'r Barri," dywedodd. "Tybed a allwn i eistedd ar do'r bws mini?"

Wrthi'n edrych ar y teiars roedd Paul, ac yn tsiecio'r petrol a'r chwistrell glanhau ffenestri.

"Caton pawb!" ebychodd Paul yn syth. "Alli di byth deithio ar do'r bws!

Mae hynny'n torri pob rheol iechyd a diogelwch. Dychmyga lond bws o blant mewn cadeiriau olwyn gyda draig yn dala'n dynn ar y to? Fe allwn i golli 'nhrwydded yrru!'

"O," meddai Môr yn llawn siom.

"Doeddwn i ddim yn meddwl y byddai neb yn fy ngweld, ac fe allwn i fod wedi ymarfer ysgwyd fy adenydd yr holl ffordd."

"Dwi ddim yn meddwl bod yr heddlu'n credu mewn dreigiau," meddai Paul, gan rowlio'i lygaid ar Alex, un o'r bechgyn hŷn. "Ond byddai hi wir yn rhy beryglus iti deithio ar do'r bws," aeth yn ei flaen. "Fe allet ti achosi damwain petai rhywun yn dy weld di a chael llond twll o ofn!"

"W! Fyddwn i ddim eisiau achosi damwain!" ebychodd Môr.

Hanner awr yn ddiweddarach, roedd Môr yn y bws, nid ar y to. Roedd gwregys diogelwch amdano ac eisteddai gydag Alex a dau fachgen ifanc arall a'u gofalwyr, Paul, Sara a Tony.

"Ynys y Barri, dyma ni'n dod!" gwaeddodd Alex.

Chwarddodd pawb a dechreuodd Paul chwarae cerddoriaeth yn uchel.

Pan gyrhaeddon nhw'r arcêd, trodd llygaid Môr yn llydan agored, fel dwy soser fawr. Roedd yno oleuadau llachar a phob math o gêmau swnllyd i fynd â'i fryd. Gwelodd yn ddigon sydyn nad oedd e'n gallu chwarae pob gêm oherwydd siâp ei gorff a'i ddwy grafanc. Câi rhai o'r plant drafferth hefyd. Er bod rhai gêmau'n iawn ar eu cyfer, doedd pob un ddim wedi eu cynllunio ar gyfer pobl mewn cadeiriau olwyn – na dreigiau.

Ymhen ychydig, galwodd Paul bawb ynghyd gan awgrymu eu bod nhw'n cael hufen iâ a chandi fflos. "Ond bydd rhaid inni i gyd frwsio'n dannedd ar ôl cyrraedd yn ôl," ychwanegodd. "Maen nhw'n llawn siwgr."

Mwynhaodd Môr ei hufen iâ yn fawr iawn, er iddo golli peth ar lawr.

"Mae 'na un candi fflos dros ben," meddai dyn y stondin wrth Paul. "Wyt ti'n gallu bwyta dau?"

"O, na! Mae un yn ddigon i mi," atebodd Paul, cyn gweld y dyn yn tynnu'i sbectol oddi ar ei drwyn a'u rhwbio'n galed wrth weld y candi fflos sbâr yn hofran yn yr awyr ac yn diflannu'n gyflym. (Deallodd Paul yn syth nad oedd dyn y stondin yn credu mewn dreigiau!)

Cyn pen dim, roedd Môr yn llanast llwyr – hufen iâ i lawr ei frest, a'i grafangau a'i ddannedd yn sownd yn ei gilydd, diolch i'r glud siwgrllyd.

"Bydd rhaid inni dy lanhau di cyn mynd ar y bws," dywedodd Paul wrtho, "neu fe ei di'n sownd i'r sedd."

"Ar ôl bwyta'r holl sothach yna, mae'n well imi nofio'n ôl, dwi'n meddwl," cynigiodd Môr. "Fe wneith dŵr y môr fy ngolchi'n lân, ac fe wna i gnoi gwymon i lanhau 'nannedd.'

Wrth i'r lleill fynd am y bws, aeth Môr i lawr i'r traeth ar frys, er mwyn nofio'i ffordd yn ôl i Dŷ Hafan. Tybed ai Môr neu'r bws gyrhaeddodd yno gyntaf?

6
Môr yn achub y dydd!

Un diwrnod, aeth y plant a'u gofalwyr am dro i fwynhau byd natur, ond wrth i'r gwynt ddechrau rhuo a'r cymylau gau dros Dŷ Hafan, fe benderfynon nhw droi'n ôl. Roedden nhw wedi gweld cnocell y coed gwyrdd yn tyrchu am bryfed yn y lawnt ger y coed, a chwerthin ar y gwylanod penwaig welson nhw'n lolian a throelli yn y gwynt. Ond chawson nhw ddim digon o amser i arogli'r planhigion. Gan nad oedd Môr yn bwyta cig, y perlysiau oedd orau ganddo – saets, teim a rhosmari.

"Ydych chi'n gallu clywed yr arolgeuon hyfryd?" dywedodd.

"Petaet ti'n siarad Saesneg, fyddet ti ddim yn gallu 'clywed' arogleuon," meddai Eleri, gan dynnu ei goes. "Dim ond eu harogli nhw."

"Lwcus 'mod i'n siarad Cymraeg 'te," atebodd Môr. "Achos mae'r rhain yn werth eu 'clywed'!"

Chwarddodd pawb, ac yna dywedodd Tony ei bod hi'n hen bryd iddyn nhw fynd dan do. "Mae'n dechrau oeri ac fe ddaw'r glaw cyn bo hir."

Ysgydwodd Môr ei adenydd un waith eto cyn mynd i mewn i'r hosbis. Gwyddai eu bod nhw'n cryfhau drwy'r amser, ond doedd e ddim yn rhy siŵr pa mor gryf oedden nhw, mewn gwirionedd. Teimlai'n nerfus. Roedd arno ofn TRIO hedfan.

Gwyddai fod ei gyfnither, Haf, eisoes yn hedfan ac yn hynod o falch ohoni'i hun.

Yn y lolfa, roedd ymwelydd i groesawu pawb adre – Bailey, y ci PAT (Pets As Therapy) oedd yn hanner sbaniel Brenin Siarl a hanner pwdl. Roedd yn anifail addfwyn a chyfeillgar iawn, ac wrth ei fodd yn cael pawb yn ei fwytho a'i anwesu. Hoffai wneud triciau hefyd. Gallai sefyll ar ei bawennau ôl a throi yn ei unfan yn osgeiddig, fel dawnsiwr bale – a throi drosodd a dilyn gorchmynion fel 'Sigla dy gynffon' yn hapus.

Roedd gan Siân, perchennog Bailey, fag llawn o deganau ar ei gyfer ac roedd Môr yn arbennig o hoff o un ohonyn nhw, sef tegan rwber a wnâi sŵn gwichian. Ond dim ond Bailey allai glywed y gwichian, am ei fod ar donfedd rhy uchel i bobol fel chi a fi ei glywed. Ond draig oedd Môr, wrth gwrs, ac roedd yn gallu clywed y sŵn llawn cystal â Bailey. Byddai wrth ei fodd yn helpu'r plant i daflu'r tegan gwichlyd a gweld y ci yn rhedeg ar ei ôl.

Cododd calon pawb pan welson nhw fod Bailey wedi galw, ond roedden nhw braidd yn drist pan ddywedodd Siân y dylen nhw droi am adre cyn i'r gwynt waethygu. Cyn gadael, fe ysgydwodd Bailey ei ddwy law… neu bawennau… gyda phawb, gan gynnwys Môr.

Wrth i'r plant, y gofalwyr a Môr wneud eu hunain yn gysurus i wylio'r ffilm *How to Train Your Dragon* ("Hy!" ebychodd Môr, gan godi'i drwyn yn ddilornus) daeth wwwsh fawr o gyfeiriad y môr, a fflach goch fel roced yn codi fry i'r awyr.

"Beth yn y byd?"

"Galwad am help," dywedodd Paul, oedd yn cerdded trwy'r lolfa ar ei ffordd i'r Stafell Weithgareddau.

"Mae rhywun mewn trafferth mas ar Fôr Hafren," cytunodd Tony. "Well imi ffonio Gwylwyr y Glannau."

Rhuthrodd pawb at y ffenest i weld llong hwylio yn y pellter, gyda'i hwylbren wedi chwythu drosodd ac yn gorwedd wysg ei hochr. Roedd dyn yn brwydro i ddal gafael ar raff ac yn gwneud ei orau glas i sythu'r cwch. Ond heb fawr o lwyddiant.

"Mae Gwylwyr y Glannau'n dweud bod Bad Achub Penarth eisoes allan yn achub rhywun arall," adroddodd Tony'n ôl. "Fe dria i'r Gwasanaeth Achub Awyr a Môr."

Wedi oedi byr, daeth Tony yn ôl gan ddweud, "Allan nhw ddim bod yma am o leiaf chwarter awr."

"Dwi ddim yn meddwl bydd y llong uwchben y dŵr ymhen chwarter awr," barnodd Paul yn drist. "Mae'r gwynt a'r glaw wedi troi'n storm go iawn."

"Hoffwn i allu hedfan i achub y dyn," sibrydodd Môr yn wylaidd. "Ond mae arna i ofn trio. Nid pawb sy'n credu mewn dreigiau."

"Fe alli di ei wneud e, Môr!" mynnodd Lisa'n gadarn. "Does dim angen cael pobl i GREDU ynddot ti. Ti'n gwybod ein bod ni i gyd yn dy garu di, ac rwyt ti'n ein caru ni, on'd wyt ti? CARIAD yw'r unig beth sy'n cyfrif. Fe alli di'i wneud e. Mae angen help ar y morwr yna nawr."

"Iawn, fe wna i fy ngorau glas," dywedodd Môr, gan wthio'i frest allan yn ddewr. "Dwi'n fodlon mentro, er mwyn y dyn ac er eich mwyn chi i gyd."

Camodd Môr allan i'r lawnt. Dechreuodd redeg lawr tua'r môr gan ailadrodd wrtho'i hun, "Maen nhw i gyd yn fy ngharu i." Roedd yn ysgwyd ei adenydd eto ac eto ac eto, ac yna...

HEDFANODD I FYNY FRY!

Hedfanodd o gwmpas y llong hwylio, cyn plymio i lawr a thynnu'r dyn o'r tonnau gyda'i grafangau cryf. Cododd ef gyda'i holl nerth.

"Fe alla i wneud hyn," dywedai wrtho'i hun drwy'r amser, wrth gludo'r dyn yn ôl i Dŷ Hafan yn ofalus, er gwaethaf hyrdd-iadau didrugaredd y gwynt. Yna, rhoddodd ef yn ofalus i orwedd ar y lawnt.

"Hwrê, Môr!" gwaeddodd pawb. "O, dyna ddraig fach glyfar wyt ti!"

Rhuthrodd y gofalwyr draw at y dyn, nad oedd, trwy lwc, lawer gwaeth ar ôl yr

argyfwng. Yn wir, cyn pen dim – ar ôl cael paned o de a bisgïen – roedd e mor fywiog â sioncyn y gwair. Llonnodd y plant i gyd o weld na chafodd niwed. Er na chawson nhw amser i fwynhau byd natur, roedd heddiw wedi dangos iddyn nhw pa mor wyllt a pheryglus y gall natur fod.

"Dwi ddim yn gwybod beth achubodd fi a'n rhoi i'n ddiogel ar y lawnt," rhyfeddodd y dyn. "Tric hud a lledrith, mae'n rhaid!"

"Cariad yw'r tric hud a lledrith mwyaf i gyd," cyhoeddodd Lisa'n fodlon.

"Ie – cariad!" meddyliodd Môr. "Mae hwnnw'n gwneud y tric bob tro."